Nefy
y Marc
Drygionus
a'r
Ceffyl Hedegog

I Syr Gabriel Gwych, adroddwr storïau heb ei ail

S. P-H.

I Francesca, fy ngwraig ryfeddol

I. S.

DREF WEN

Cyhoeddwyd yn 2017 gan Wasg y Dref Wen,
28 Ffordd yr Eglwys, Yr Eglwys Newydd,
Caerdydd CF14 2EA, ffôn 029 20617860.
Cyhoeddwyd gyntaf yn y Deyrnas Unedig yn 2017
gan Egmont Children's Books Limited,
The Yellow Building, 1 Nicholas Road, London W11 4AN
dan y teitl *Norman the Naughty Knight and the Flying Horse*

Argraffwyd a rhwymwyd yn Singapore.
Cyhoeddwyd gyda chymorth ariannol Cyngor Llyfrau Cymru.

a'r Ceffyl Hedegog

Smriti Prasadam-Halls

Darluniau gan **Ian Smith**

Addasiad gan **Elin Meek**

Roedd Nefydd y Marchog yn gyffrous iawn. Roedd ymryson twrnamaint yn cael ei gynnal yng Nghastell Crecian.

Roedd pawb wrthi'n paratoi.

Roedd y Brenin Bedwyr yn canu ei gorn, y Frenhines Betsi yn ymarfer ei hanerchiad, y Tywysog Arthur yn glanhau ei gleddyf, y Gogyddes wrthi'n gwneud jeli, Dilys y Ddraig yn glanhau'r simneiau, a Nefydd …

Roedd Nefydd yn adrodd storïau.

Roedd Nefydd wrth ei fodd yn adrodd storïau.
Rhai doniol, fel hon …

‘Byddwn i’n gallu marchogaeth ceffyl ben i waered!’

Rhai twp, fel hon …

‘Byddwn i’n gallu ymladd gyda fy nwylo wedi’u clymu’r tu ôl i ’nghefn!’

A rhai DWL, fel hon …

‘Byddwn i’n gallu ennill unrhyw ymryson twrnamaint yn y byd!’

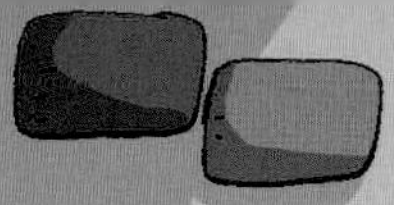

Drwy lwc, os oedd e'n adrodd storïau RHY ddwl, byddai Dilys, ei ddraig anwes, yn eistedd arno.

Fel hyn.

Wrth i ddiwrnod yr ymryson twrnamaint ddod yn nes, eisteddai Dilys ar Nefydd YN AML.

Doedd Nefydd ddim yn cymryd rhan yn yr ymryson twrnamaint oherwydd bod pob lle'n llawn, ond roedd yn hoffi siarad amdano.

'Mae'n drueni mawr,' meddai gan frolio. 'Roeddwn i eisiau i bawb gael gweld fy sgiliau twrnamaint gwych.'

Ar noson gyntaf yr ymryson, roedd gwledd i roi croeso i'r marchogion. Daeth pawb i'r Neuadd Wledda.

'Dyna Syr Prys Pants Swnllyd,' sibrydodd Nefydd wrth Dilys. 'Mae hyd yn oed ei ddillad isaf wedi'u gwneud o fetel.'

'A dyna Syr Penri Pen-ôl Hyblyg. Mae'n gallu marchogaeth ceffyl am 'nôl.'

'A dyna Syr Carwyn Curo Pawb. Rwyt ti'n gallu dyfalu beth mae e'n gallu ei wneud, siŵr o fod!'

Ar hynny, daeth marchog tal iawn i mewn i'r neuadd.
Aeth popeth yn dawel.

'Pwy yw HWNNA?' holodd Dilys.
'Y Marchog Coch yw e,' sibrydodd Nefydd. 'Does neb wedi'i guro fe erioed.'

Ar ôl i'r marchogion fwyta llond bol o gawl crecian a jeli ymryson, aeth pawb at y tân i adrodd storïau. Roedd rhai storïau am farchogion enwog. Roedd rhai storïau am arfau rhyfeddol.

Cyn hir, tro Nefydd oedd hi.

'Ydych chi wedi clywed y stori am y Marchog Heb Ben?' gofynnodd Nefydd gan sibrwd.

'M-m-marchog Heb B-b-ben?' meddai Syr Carwyn Curo Pawb.

'O ie,' meddai Nefydd, yn gyfrwys. 'Mae rhai pobl wedi'i weld e'n marchogaeth fan hyn!'

Aeth Nefydd yn ei flaen. 'Ac wrth gwrs, Ysbryd Castell Crecian.'

'Y-y-ysbryd?' sibrydodd Syr Carwyn.

'O ie,' meddai Nefydd Ddrygionus. 'Efallai

cewch chi ei weld e heno!'
'A'r Ceffyl hedegog sy'n ...'
Erbyn hyn roedd dannedd Syr Carwyn yn clecian. 'C-c-ceffyl hedegog?'
'O ie,' meddai Nefydd, 'maen nhw'n dweud bod ei adenydd enfawr yn gallu ...'

'Wel, dwi ddim yn credu gair!' torrodd Syr Penri Pen-ôl Hyblyg ar ei draws yn bendant.
'Na minnau chwaith,' meddai Syr Prys Pants Swnllyd, gan godi ar ei draed. Ond roedd yn edrych braidd yn nerfus.

‘Nefydd!’ meddai’r frenhines yn grac. ‘Dyna ddigon o storïau am heno. I ffwrdd â ti i’r gwely!’
‘Aw!’ meddai Nefydd, wrth i Dilys eistedd arno. ‘Sori Mam, roeddwn i’n meddwl y byddai pawb yn hoffi stori fach cyn cysgu!’

Y bore wedyn rhuthrodd y Brenin Bedwyr i'r castell â newyddion drwg. 'Mae Syr Carwyn wedi mynd adref.' Ochneidiodd. 'Does dim digon o farchogion gyda ni i'r twrnamaint nawr. Beth wnawn ni, tybed?'

'Hen dro, Dad,' meddai Nefydd, gan gnoi darn o dost twrnamaint.

'Beth am i Nefydd gymryd lle Syr Carwyn?' meddai Arthur ei frawd, a'i lygaid yn disgleirio. 'Gallai ddangos ei sgiliau i ni!'

‘BETH? Yym, na – dwi’n BRYSUR iawn heddiw!’ protestiodd Nefydd. ‘Mae gen i … yym, bethau … yym … i’w gwneud.’
‘Am syniad gwych!’ meddai’r brenin, ac i ffwrdd ag e i roi gwybod i bawb.
‘Ie, Nefydd,’ meddai Arthur. ‘Nawr cei di ddangos i ni sut mae ymryson go iawn!’

Roedd Nefydd wedi dychryn. Doedd ganddo ddim syniad o gwbl sut i ymryson. Dim ond stori ddwl oedd hi. 'Paid â phoeni, Nefydd,' meddai Dilys. 'Rhof i help i ti.'

'Diolch, Dilys,' meddai Nefydd, gan deimlo'n well. 'Beth am ymarfer? Dydy ymryson ddim mor anodd â HYNNY, nac ydy?'

Ond roedd ymryson yn anodd IAWN.

Yn gyntaf
roedd rhaid
marchogaeth
ceffyl yn
gyflym
iawn heb
syrthio i'r
llawr.

Yna
roedd rhaid
marchogaeth
ceffyl yn
gyflym iawn
a chwifio
gwaywffon
yn yr awyr ar
yr un pryd, heb
syrthio i'r llawr.

Ac YNA roedd rhaid marchogaeth ceffyl

yn gyflym iawn, chwifio gwaywffon yn yr awyr a bwrw'r person arall drosodd ar yr un pryd, heb syrthio i'r llawr.

Buodd Nefydd a Dilys yn ymarfer drwy'r bore, ond doedd dim yn tycio. Doedd dim siâp ar Nefydd o gwbl.

'Paid â phoeni!' meddai Dilys, gan dynnu Nefydd allan o'r ffos ETO. 'Byddi di'n iawn.' Ond doedd hi ddim yn edrych yn siŵr o gwbl am hynny.

Ar hynny, daeth y Gogyddes atyn nhw, a'i gwynt yn ei dwrn.
'Beth rwyt ti'n ei wneud fan hyn, Nefydd? Mae pawb yn chwilio amdanat ti. Mae'r ymryson wedi dechrau. Dy dro di yw hi!'
'O na!' cwynodd Nefydd.

Cyrhaeddodd y cae mewn pryd ar gyfer ei ymryson cyntaf.

Gwisgodd Nefydd ei helmed yn gyflym. Gwisgodd ei esgidiau. Ac roedd yn gwisgo ei arfwisg pan ganodd y corn.

'Mae'r ymryson yn dechrau!' gwaeddodd y brenin.

'Arhoswch! Dwi ddim yn barod!' gwaeddodd Nefydd.
Ond roedd hi'n rhy hwyr. Roedd Syr Penri Pen-ôl Hyblyg yn rhuthro'n syth tuag ato.

Carlamodd ceffyl Nefydd ar y cae, ond doedd Nefydd ddim yn gallu gweld dim byd. Roedd ei helmed yn sownd yn yr arfwisg. Ceisiodd wthio ei ben allan ond roedd yn sownd.

'Aaa!' gwaeddodd Nefydd.

Yna clywodd waedd arall. Syr Penri oedd yn gweiddi.
'Help! Y Marchog Heb Ben sy' 'na! Mae'n dod ar fy ôl i!'

'Ble? Ble mae e?' meddai Nefydd, gan wthio ei ben drwyddo o'r diwedd a syllu o'i gwmpas. Ond roedd Syr Penri wedi rhedeg oddi ar y cae dan weiddi, 'Help! Help! Y Marchog Heb Ben!'

‘Dyna ddihangfa lwcus!’ chwarddodd Nefydd. Cafodd egwyl fach i weld rhai o’r marchogion eraill yn ymryson. Gwyliodd yn ofalus, er mwyn ceisio dysgu rhywbeth, ond cyn hir roedd y corn yn canu eto. Roedd hi’n bryd am yr Ail Rownd.

‘O leiaf rwyt ti’n gwisgo dy arfwisg y tro hwn!’ meddai Dilys.

'Dere, Clop!' meddai Nefydd wrth ei geffyl. 'Gee ceffyl bach!'
Ond roedd syniadau eraill gan geffyl Nefydd. Roedd Clop wedi gweld gwiwer a dechreuodd drotian ar ei hôl, a thuag at y castell.

‘Na! na!’ meddai Nefydd, gan dynnu’r ffrwyn, ond doedd dim byd yn mynd i stopio Clop. Carlamodd i’r beili, heibio i’r gegin ac yn syth drwy’r lein ddillad!

Cyn hir roedd Nefydd yn sownd mewn cynfas gwyn. 'HELP!' bloeddiodd, wrth i Clop ruthro ar ôl y wiwer a 'nôl ar y cae. 'Waaaaa!' sgrechiodd, gan wneud ei orau i beidio â syrthio.

Yna clywodd Nefydd sgrech arall.

Syr Prys Pants Swnllyd oedd yn sgrechian. 'Help! Ysbryd Castell Crecian yw e! Dyna fe GO IAWN!'
A dyma Syr Prys yn carlamu oddi ar y cae gan udo, 'Dwi eisiau fy mam!'

'Nid ysbryd ydw i!' gwaeddodd Nefydd, gan ddod yn rhydd o'r diwedd, ond doedd dim golwg o Syr Prys. 'Dyw'r ymryson twrnamaint yma ddim

yn rhy ddrwg wedi'r cyfan,' meddai Nefydd wrth Dilys. 'Dwi'n methu credu ein bod ni wedi cyrraedd y Ffeinal!'

Yna gwelodd Nefydd y marchog olaf iddo ymryson ag ef.

Llyncodd Nefydd.

Llyncodd Dilys.

Cafodd ceffyl Nefydd un cip arno a charlamu i ffwrdd.

‘Beth wnaf i?’ llefodd Nefydd. ‘Mae’n rhaid i mi wynebu’r MARCHOG COCH, heb geffyl, hyd yn oed!’

Rholiodd Dilys ei llygaid. ‘Nawr, dwi DDIM yn meddwl bod hwn yn syniad da …’ cwynodd, ‘ond mae’n debyg y bydd rhaid i mi fod yn geffyl. Dim ond am unwaith.’

Rhoddodd Nefydd gwtsh fawr i Dilys.

Canodd y corn. Roedd hi'n bryd cynnal y Ffeinal.
Aeth Dilys a Nefydd ar y cae.

‘Ho ho! Am farchog bach doniol! Ha ha! Am geffyl doniol yr olwg!’ rhuodd y Marchog Coch.

‘Bydda i’n dy fwrw di drosodd mewn dim o dro!’ Cododd ei waywffon a dod fel taran tuag atyn nhw.

Carlamodd yn nes ac yn nes.
'O na!' llefodd Nefydd.
'O help!' cwynodd Dilys.

Roedd y Marchog Coch bron â'u cyrraedd nhw.

Caeodd Nefydd ei lygaid yn dynn.
Roedd y Marchog Coch yn dal i garlamu.
Roedd Dilys yn dal i garlamu.
Daethon nhw'n nes ac yn nes …

… fel mai dim ond un peth oedd i'w wneud. Dyma Dilys yn gwneud beth byddai unrhyw ddraig gall oedd yn esgus bod yn geffyl yn ei wneud …

Curodd ei hadenydd anferth a HEDFAN dros y Marchog Coch.

Roedd y Marchog Coch wedi'i synnu cymaint o weld ceffyl hedegog, fel y carlamodd yn syth i goeden, cwympo oddi ar ei geffyl a glanio ar ei ben mewn ffos.

Aeth y dyrfa'n wyllt. 'Hwrê! Hwrê i Nefydd a'i Geffyl Hedegog!' gwaeddodd pawb.

Y noson honno buodd gwledd enfawr. 'Da iawn ti Nefydd, enillydd yr ymryson!' meddai'r brenin a'r frenhines yn falch. 'Dyna sgiliau marchogaeth gwych! Dyna driciau anhygoel!'

‘Chwarae teg i ti, frawd bach,’ chwarddodd y Tywysog Arthur. ‘Wel, ces i ychydig bach o help gan ffrind!’ meddai Nefydd, gan wincio ar Dilys.

‘Ychydig BACH o help?’ meddai Dilys, ac eisteddodd yn drwm ar Nefydd.

Mae Castell Crecian yn dal i gynnal ymryson twrnamaint bob blwyddyn. Daw marchogion o bell ac agos i ddangos eu sgiliau.

Maen nhw'n marchogaeth, yn ymryson, yn gwledda ac yn adrodd storïau.

Mae rhai storïau am farchogion enwog ac mae rhai storïau am arfau rhyfeddol ...

… ond HOFF stori pawb yw honno am Nefydd y Marchog a'i Geffyl Hedegog anhygoel.